CAKES, MUFFINS & CIE.

LAROUSSE

21 RUE DU MONTPARNASSE 75283 PARIS CEDEX 06

SOMMAIRE

Voici un classique incontournable pour un apéritif réussi ! Vous pouvez réaliser toutes les variantes imaginables : le résultat sera toujours aussi savoureux.

Mini-cakes aux olives noires et vertes

POUR 12 MINI-CAKES
PRÉPARATION : 20 MIN
CUISSON : 30 MIN

> 100 g de beaufort
> 50 g de feta
> 4 œufs
> 15 cl d'huile végétale
> 15 cl de vin blanc sec
> 250 g de farine tamisée
> 1 sachet de levure chimique
> 50 g d'olives noires dénoyautées
> 50 g d'olives vertes dénoyautées
> sel et poivre du moulin

1. Préchauffez le four à 170 °C (therm. 5-6). Râpez le beaufort et émiettez la feta.

2. Dans un saladier, battez les œufs, puis incorporez l'huile et le vin. Ajoutez la farine, la levure, le beaufort, la feta ainsi que les olives noires et vertes, puis mélangez délicatement le tout jusqu'à obtention d'une pâte lisse et homogène. Salez et poivrez.

3. Beurrez et farinez 12 petits moules à cakes, puis versez-y la pâte en les emplissant aux trois quarts. Enfournez pour 30 minutes – les cakes sont cuits lorsque la pointe d'un couteau piquée au cœur en ressort propre.

4. Sortez-les du four, laissez-les refroidir un peu, puis démoulez-les sur une grille. Servez-les tièdes.

N'hésitez pas à tester ces muffins avec d'autres olives : des vertes, des noires, des épicées... Il y en a pour tous les goûts !

Muffins à la courgette et aux olives

POUR 12 MUFFINS

PRÉPARATION : 20 MIN

CUISSON : 25 MIN

> 2 petites courgettes (environ 120 g)
> 5 cuill. à soupe d'huile d'olive
> 30 g d'olives violettes
> 2 œufs
> 150 g de farine
> 1/2 sachet de levure chimique
> 10 cl de lait
> sel et poivre du moulin

1. Préchauffez le four à 180 °C (therm. 6), puis beurrez et farinez 12 petits moules à muffins ou tapissez une plaque à muffins de 12 caissettes en papier.

2. Lavez les courgettes et coupez-les en dés de 1 cm de côté. Dans une poêle, faites chauffer 2 cuillerées à soupe d'huile d'olive, puis faites revenir les dés de courgette 5 minutes. Salez et poivrez.

3. Dénoyautez les olives, puis coupez-les en dés. Dans un saladier, battez les œufs, puis incorporez délicatement les dés de courgette et les olives. Ajoutez la farine et la levure, versez le lait et l'huile d'olive restante, puis mélangez.

4. Répartissez la pâte dans les moules en les emplissant aux trois quarts, puis enfournez pour 20 minutes.

5. Sortez les muffins du four, laissez-les refroidir pendant 2 minutes, puis démoulez-les délicatement à l'aide d'un couteau à lame lisse. Servez-les tièdes.

Voici une recette qui vous fera vite oublier la version sucrée des financiers ! Pour changer, remplacez le thym par de l'origan, au parfum un peu plus prononcé, mais très agréable.

Financiers salés au thym

POUR 12 FINANCIERS
PRÉPARATION : 35 MIN
CUISSON : 15 MIN

- > 1 cuill. à soupe de thym
- > 1 gousse d'ail ou 1 cuill. à café d'ail séché
- > 60 g de farine
- > 70 g d'amandes en poudre
- > 1 cuill. à café de poivre blanc moulu
- > 1 pincée de sel
- > 140 g de beurre
- > 3 blancs d'œufs

1. Préchauffez le four à 200 °C (therm. 6-7). Beurrez légèrement 12 moules à financiers, puis farinez-les en éliminant l'excédent.

2. Hachez le thym et la gousse d'ail. Dans un saladier, réunissez la farine, les amandes en poudre, le poivre, le thym, le sel et l'ail haché ou séché, puis mélangez bien le tout.

3. Dans une petite casserole, faites fondre le beurre à feu doux, puis laissez-le tiédir à température ambiante. Dans un autre récipient, montez les blancs d'œufs en neige, puis incorporez-les délicatement au mélange ainsi que le beurre fondu.

4. Répartissez la pâte dans les moules et enfournez pour 15 minutes, jusqu'à ce que les financiers soient bien dorés. Sortez-les du four, laissez-les refroidir, puis démoulez-les. Servez-les tièdes.

Mini-cakes aux courgettes, et à la noisette

POUR 12 MINI-CAKES
PRÉPARATION : 25 MIN
CUISSON : 25 MIN

> 125 g de beurre salé
> 2 courgettes
> 70 g de noisettes
> 250 g de farine
> 1 sachet de levure chimique
> 2 cuill. à café de curcuma en poudre
> 3 œufs
> 10 cl de lait
> poivre du moulin

1. Préchauffez le four à 180 °C (therm. 6). Dans une petite casserole, faites fondre le beurre salé à feu doux, puis laissez-le tiédir à température ambiante.

2. Pendant ce temps, coupez les courgettes en fines rondelles. Coupez les noisettes en deux. Dans un saladier, versez la farine avec la levure et le curcuma. Incorporez les œufs un à un, puis le beurre, le lait et les noisettes. Mélangez délicatement le tout jusqu'à obtention d'une pâte lisse et homogène. Poivrez.

3. Beurrez et farinez 12 petits moules à cakes. Versez un peu de pâte dans les moules en les emplissant à moitié, puis enfoncez-y des rondelles de courgette. Enfournez pour 25 minutes.

4. Sortez les mini-cakes du four, laissez-les refroidir un peu, puis démoulez-les sur une grille. Servez-les tièdes.

Déclinez cette délicieuse alliance de salé et de sucré en remplaçant le pesto de basilic par un pesto de tomate.

Madeleines au pesto

POUR 12 MADELEINES
PRÉPARATION : 20 MIN
REPOS : 1 H
CUISSON : 10 MIN

> 125 g de beurre
> 2 œufs
> 100 g de sucre en poudre
> 3 cuill. à soupe de lait
> 125 g de farine
> 1/2 sachet de levure chimique
> 50 g de pesto de basilic

1. Beurrez légèrement 12 moules à madeleines, puis farinez-les en éliminant l'excédent.

2. Dans une petite casserole, faites fondre le beurre à feu doux. Dans un saladier, battez les œufs, puis incorporez le sucre en poudre et le lait. Ajoutez le beurre fondu, la farine, la levure et le pesto, puis mélangez bien le tout.

3. Répartissez la pâte ainsi obtenue dans les moules en les emplissant aux deux tiers, puis laissez reposer pendant 1 heure.

4. Préchauffez le four à 210 °C (therm. 7). Enfournez pour 10 minutes, jusqu'à ce que les madeleines soient gonflées et dorées.

5. Sortez-les du four, démoulez-les délicatement sur une grille et laissez-les refroidir un peu. Servez-les tièdes.

Muffins au curry et aux petits pois

POUR 12 MUFFINS

PRÉPARATION : 30 MIN

CUISSON : 30 À 35 MIN

> 100 g de petits pois
> 60 g d'emmenthal
> 175 g de farine
> 1 sachet de levure chimique
> 1 cuill. à soupe de curry en poudre
> 2 œufs
> 125 g de fromage blanc
> 60 g de lait
> 4 cuill. à soupe d'huile d'olive
> sel et poivre du moulin

1. Préchauffez le four à 200 °C (therm. 6-7), puis beurrez et farinez légèrement 12 petits moules à muffins ou tapissez une plaque à muffins de 12 caissettes en papier.

2. Écossez les petits pois. Portez à ébullition une grande casserole d'eau salée et plongez-y les petits pois pendant environ 10 minutes – ils doivent rester croquants. Égouttez-les et passez-les sous l'eau froide, puis réservez.

3. Râpez l'emmenthal. Dans un saladier, mélangez la farine, la levure, le curry et l'emmenthal. Assaisonnez selon votre goût, puis incorporez délicatement les petits pois. Dans un autre saladier, battez les œufs, puis ajoutez le fromage blanc, le lait, l'huile d'olive et mélangez.

4. Rassemblez les deux préparations et mélangez-les rapidement, sans trop insister, afin qu'il reste des grumeaux. Répartissez la pâte dans les moules en les emplissant aux trois quarts, puis enfournez et faites cuire de 20 à 25 minutes.

5. Sortez les muffins du four, laissez-les refroidir pendant 2 minutes, puis démoulez-les à l'aide d'un couteau à lame lisse. Servez-les tièdes.

Quelques ingrédients sortis du placard... et le tour est joué !

Cake au pesto d'amande

POUR 12 PERSONNES
PRÉPARATION : 20 MIN
CUISSON : 30 MIN

> 80 g de beurre
> 200 g de farine
> 1 sachet de levure chimique
> 3 œufs
> 1 pincée de sel

Pour le pesto d'amande

> 2 gousses d'ail
> 50 g de parmesan
> 50 g d'amandes émondées
> 1 bouquet de basilic
> 15 cl d'huile d'olive

1. Préchauffez le four à 180 °C (therm. 6). Dans une petite casserole, faites fondre le beurre, puis réservez. Dans un saladier, mélangez la farine avec la levure, ajoutez le beurre fondu, les œufs et le sel.

2. Préparez le pesto. Pelez les gousses d'ail et coupez le parmesan en petits morceaux. Dans le bol d'un robot, réunissez tous les ingrédients, puis mixez. Incorporez soigneusement ce pesto à la préparation précédente.

3. Beurrez et farinez un moule à cake, puis versez-y la pâte et enfournez pour 30 minutes.

4. Sortez le cake du four, laissez-le refroidir un peu, puis démoulez-le sur une grille. Servez-le tiède.

Madeleines à la betterave et au sésame

POUR 12 MADELEINES
PRÉPARATION : 20 MIN
CUISSON : 15 MIN

> 125 g de beurre salé
> 1/2 betterave
> 150 g de farine
> 1/2 sachet de levure chimique
> 2 cuill. à soupe de graines de sésame
> 3 œufs

1. Préchauffez le four à 220 °C (therm. 7-8). Beurrez légèrement 12 moules à madeleines, puis farinez-les en éliminant l'excédent.

2. Dans une petite casserole, faites fondre le beurre salé. Pelez la betterave et hachez-la à l'aide d'un robot.

3. Dans un saladier, mélangez la farine avec la levure et incorporez le beurre fondu ainsi que la moitié des graines de sésame. Ajoutez les œufs et la betterave hachée, puis mélangez de nouveau.

4. Répartissez la pâte dans les moules en les emplissant aux trois quarts. Parsemez du reste des graines de sésame et enfournez pour 10 minutes. Baissez la température du four à 180 °C (therm. 6) et prolongez la cuisson de 5 minutes jusqu'à ce que les madeleines soient gonflées.

5. Sortez-les du four, démoulez-les délicatement sur une grille. Servez-les tièdes.

Dans cette recette, le pesto voit rouge et vert pour le plus grand plaisir des amateurs de cakes moelleux !

Petits cakes marbrés aux pestos rouge et vert

POUR 12 MINI-CAKES
PRÉPARATION : 20 MIN
CUISSON : 20 MIN

> 200 g de farine
> 1 sachet de levure chimique
> 3 œufs
> 10 cl d'huile de tournesol
> 100 g de comté fraîchement râpé
> 2 cuill. à soupe de muscat
> 3 cuill. à soupe de lait (facultatif)
> 2 cuill. à soupe de pesto de tomate
> 100 g d'olives vertes dénoyautées
> 2 cuill. à soupe de pesto de basilic
> 40 g de pignons

1. Préchauffez le four à 190 °C (therm. 6-7). Dans un saladier, mélangez la farine et la levure, puis incorporez les œufs un à un. Ajoutez l'huile de tournesol, le comté et le muscat, puis mélangez jusqu'à obtention d'une pâte bien lisse – si celle-ci est trop épaisse, versez éventuellement un peu de lait.

2. Répartissez la pâte obtenue dans deux bols. Incorporez le pesto de tomate et les olives dans l'un, puis le pesto de basilic et les pignons dans le second.

3. Beurrez et farinez 12 petits moules à cakes. Versez un peu de la pâte à la tomate dans chaque moule, puis ajoutez-y celle au basilic, en emplissant les moules aux trois quarts. Enfournez pour 20 minutes.

4. Sortez les cakes du four, laissez-les refroidir un peu, puis démoulez-les sur une grille. Servez-les tièdes.

Entre la roquette et le parmesan, cette recette a comme un goût d'Italie...

Muffins à la roquette et au parmesan

POUR 12 MUFFINS
PRÉPARATION : 25 MIN
CUISSON : 20 À 25 MIN

> 50 g de roquette
> 2 œufs
> 25 cl de lait
> 3 cuill. à soupe d'huile d'olive
> 175 g de farine
> 1 sachet de levure chimique
> 50 g de parmesan en poudre
> sel et poivre du moulin

1. Préchauffez le four à 200 °C (therm. 6-7), puis beurrez et farinez légèrement 12 petits moules à muffins ou tapissez une plaque à muffins de 12 caissettes en papier.

2. Hachez grossièrement la roquette au couteau. Dans un saladier, battez les œufs, puis incorporez le lait et l'huile d'olive. Dans un autre saladier, réunissez la farine, la levure, la roquette et le parmesan. Assaisonnez selon votre goût, puis mélangez délicatement le tout.

3. Rassemblez les deux préparations et mélangez-les rapidement, sans trop insister, afin qu'il reste des grumeaux. Répartissez la pâte dans les moules en les emplissant aux trois quarts. Enfournez et faites cuire de 20 à 25 minutes, jusqu'à ce que les muffins soient dorés et gonflés.

4. Sortez-les du four, laissez-les refroidir sur une grille, puis démoulez-les.

Mini-cakes à la courge et au gorgonzola

POUR 12 MINI-CAKES
PRÉPARATION : 40 MIN
CUISSON : 40 MIN

> 200 g de courge
> 100 g de beurre salé
> 2 œufs
> 100 g de farine de blé
> 80 g de farine de châtaigne
> 1/2 de sachet de levure chimique
> 10 cl de lait
> 100 g de gorgonzola
> poivre du moulin

1. Préchauffez le four à 180 °C (therm. 6). Épluchez et épépinez la courge. Coupez-la en petits morceaux, puis faites cuire ceux-ci dans 20 cl d'eau pendant environ 20 minutes. S'il reste de l'eau à la fin de la cuisson, retirez-la. Réduisez la courge en purée à l'aide d'un moulin à légumes, puis réservez.

2. Dans une casserole, faites fondre le beurre salé à feu doux. Battez les œufs, puis mélangez-les aux farines et à la levure. Incorporez le beurre fondu, le lait et la purée de courge, puis poivrez.

3. Coupez le gorgonzola en morceaux. Beurrez et farinez 12 petits moules à cakes. Versez un peu de pâte dans chaque moule, déposez un morceau de gorgonzola, puis recouvrez avec le reste de la pâte. Enfournez pour 20 minutes.

4. Sortez les mini-cakes du four, laissez-les refroidir un peu, puis démoulez-les sur une grille. Servez-les tièdes.

Muffins aux champignons et au fromage fondant

POUR 12 MUFFINS

PRÉPARATION : 25 MIN

CUISSON : 25 MIN

> 250 g de champignons de Paris
> 190 g de beurre salé ramolli
> 225 g de farine
> 3/4 sachet de levure chimique
> 3 œufs
> 2 cuill. à soupe de cerfeuil ou de persil haché
> 6 portions de fromage La vache qui rit®
> sel du moulin

1. Préchauffez le four à 180 °C (therm. 6). Beurrez et farinez 12 petits moules à muffins ou tapissez une plaque à muffins de 12 caissettes en papier.

2. Nettoyez les champignons et hachez-en les trois quarts grossièrement. Dans une poêle, faites chauffer 40 g de beurre salé, puis faites revenir les champignons hachés pendant 5 minutes jusqu'à ce qu'ils ne rendent plus d'eau. Salez selon votre goût.

3. Dans un saladier, mélangez la farine et la levure, puis ajoutez les œufs avec le reste du beurre. Mélangez bien le tout, puis incorporez délicatement les champignons, les herbes et les portions de fromage.

4. Répartissez la pâte dans les moules en les emplissant aux trois quarts, puis enfournez pour 15 minutes. Découpez en lamelles le reste des champignons.

5. Sortez-les muffins du four, laissez-les refroidir pendant 2 minutes puis démoulez-les délicatement à l'aide d'un couteau à lame lisse. Décorez-les avec des lamelles de champignons et servez-les tièdes.

Muffins à la menthe, au fromage et à la pomme

POUR 12 MUFFINS
PRÉPARATION : 25 MIN
CUISSON : 20 MIN

> 50 g d'emmenthal
> 125 g de bûche de chèvre
> 1 pomme
> 1 petit bouquet de menthe
> 3 œufs
> 180 g de farine
> 1 sachet de levure chimique
> 12 cl de lait
> 4 cuill. à soupe d'huile végétale
> sel et poivre du moulin

1. Préchauffez le four à 180 °C (therm. 6). Beurrez et farinez 12 petits moules à muffins ou tapissez une plaque à muffins de 12 caissettes en papier.

2. Râpez l'emmenthal. Coupez le chèvre et la pomme en dés. Lavez la menthe, puis ciselez-la. Dans un saladier, battez les œufs, ajoutez la farine et la levure, puis versez le lait et l'huile. Salez et poivrez très légèrement, mélangez bien le tout, puis incorporez l'emmenthal, le fromage de chèvre, la menthe et la pomme.

3. Répartissez la pâte dans les moules en les emplissant aux trois quarts, puis enfournez pour 20 minutes.

4. Sortez les muffins du four, laissez-les refroidir pendant 2 minutes, puis démoulez-les délicatement à l'aide d'un couteau à lame lisse. Servez-les tièdes.

Vous pouvez remplacer les figues fraîches par des figues mi-sèches, très moelleuses, vendues en sachets.

Muffins aux figues et à la ricotta

POUR 12 MUFFINS
PRÉPARATION : 25 MIN
CUISSON : 20 MIN

- > 8 figues
- > 200 g de ricotta
- > 4 œufs
- > 20 cl de lait
- > 200 g de farine
- > sel et poivre du moulin

1. Préchauffez le four à 180 °C (therm. 6). Beurrez et farinez 12 petits moules à muffins ou tapissez une plaque à muffins de 12 caissettes en papier.

2. Lavez les figues, puis coupez-les en dés de 1 cm de côté. Émiettez la ricotta. Dans un saladier, battez les œufs avec le lait, puis incorporez la farine. Salez et poivrez, puis ajoutez les dés de figue à la préparation.

3. Répartissez la pâte dans les moules en les emplissant aux trois quarts, puis enfournez pour 20 minutes.

4. Sortez les muffins du four, laissez-les refroidir pendant 2 minutes, puis démoulez-les délicatement à l'aide d'un couteau à lame lisse. Servez-les tièdes.

Financiers à la roquette et au roquefort

POUR 12 FINANCIERS
PRÉPARATION : 25 MIN
CUISSON : 10 MIN

> 80 g de roquette
> 60 g de roquefort
> 50 g de farine
> 50 g d'amandes en poudre
> 2 blancs d'œufs

1. Préchauffez le four à 180 °C (therm. 6). Beurrez légèrement 12 moules à financiers, puis farinez-les en éliminant l'excédent.

2. Lavez et séchez la roquette. Dans une petite casserole, faites fondre le roquefort à feu doux. Dans le bol d'un robot, réunissez la farine, les amandes en poudre et la roquette, puis mixez le tout jusqu'à ce que le mélange devienne vert. Ajoutez les blancs d'œufs et le roquefort fondu, puis mixez l'ensemble de nouveau jusqu'à obtention d'une pâte bien lisse.

3. Répartissez la pâte dans les moules et enfournez pour 10 minutes, jusqu'à ce que les financiers soient bien dorés.

4. Sortez-les du four, laissez-les refroidir un peu, puis démoulez-les sur une grille. Servez-les tièdes.

L'association très classique du chèvre et des lardons est indémodable et toujours aussi alléchante.

Petits cakes ronds au chèvre et aux lardons

POUR 12 MINI-CAKES
PRÉPARATION : 25 MIN
CUISSON : 20 MIN

> 3 œufs
> 140 g de farine
> 1/2 sachet de levure chimique
> 10 cl de lait
> 3 cuill. à soupe de crème fraîche liquide
> 120 g de lard fumé
> 120 g de chèvre en bûche
> sel et poivre du moulin

1. Préchauffez le four à 180 °C (therm. 6). Dans un saladier, battez les œufs, salez et poivrez. Incorporez la farine, la levure, le lait et la crème liquide, puis mélangez bien le tout.

2. Coupez le lard et le chèvre en dés, puis ajoutes-les à la préparation. Mélangez délicatement le tout.

3. Beurrez et farinez 12 petits moules à cakes. Répartissez la pâte obtenue dans les moules en les emplissant aux deux tiers et enfournez pour 20 minutes.

4. Sortez les mini-cakes du four, laissez-les refroidir un peu, puis démoulez-les sur une grille. Servez-les tièdes.

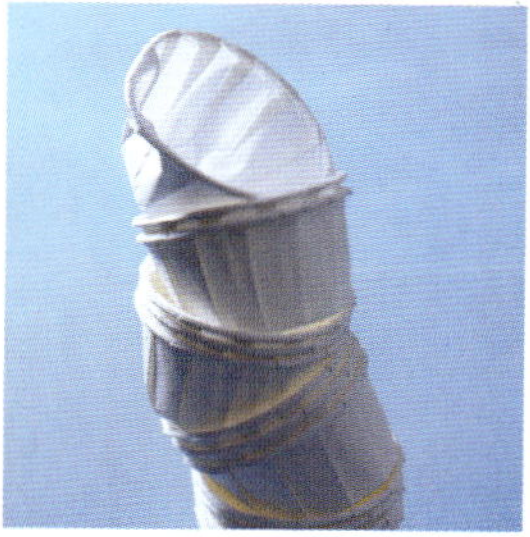

Originaire du Tyrol, le speck est un jambon assaisonné au genévrier. À défaut vous pouvez utiliser des lardons.

Muffins au speck et à la ricotta

POUR 12 MUFFINS

PRÉPARATION : 25 MIN

CUISSON : 20 MIN

> 100 g de speck
> 2 cuill. à café de ciboulette
> 2 œufs
> 100 g de farine de sarrasin
> 100 g de farine de blé
> 1 sachet de levure chimique
> 15 cl de vin blanc
> 10 cl d'huile d'olive
> 100 g de ricotta
> sel et poivre du moulin

1. Préchauffez le four à 180 °C (therm.6). Beurrez et farinez 12 petits moules à muffins ou tapissez une plaque à muffins de 12 caissettes en papier.

2. Coupez le speck en morceaux. Lavez et ciselez la ciboulette. Dans un saladier, battez les œufs, ajoutez les farines et la levure, mélangez bien le tout, puis incorporez le vin blanc, l'huile d'olive, la ricotta, la ciboulette et le speck. Mélangez de nouveau et assaisonnez selon votre goût.

3. Répartissez la pâte dans les moules en les emplissant aux trois quarts, puis enfournez pour 20 minutes.

4. Sortez les muffins du four, laissez-les refroidir pendant 2 minutes, puis démoulez-les et servez-les tièdes.

Ces madeleines sont si appétissantes que vous n'attendrez pas forcément l'arrivée de vos invités pour les goûter !

Madeleines au jambon et à la pistache

POUR 12 MADELEINES
PRÉPARATION : 30 MIN
RÉFRIGÉRATION : 1 H
CUISSON : 10 MIN

- > 80 g de beurre
- > 4 œufs
- > 150 g de farine
- > 1 sachet de levure chimique
- > 1 pincée de sel
- > 100 g de pistaches
- > 2 tranches de jambon blanc

1. Préchauffez le four à 250 °C (therm. 8-9). Beurrez légèrement 12 moules à madeleines, puis farinez-les en éliminant l'excédent.

2. Faites fondre le beurre au bain-marie, puis laissez-le refroidir.

3. Dans un saladier, battez les œufs, ajoutez la farine et la levure, puis mélangez bien. Incorporez le beurre fondu et le sel, puis placez la préparation au réfrigérateur pendant 1 heure.

4. À l'aide d'un gros couteau, concassez les pistaches et coupez le jambon en dés, puis incorporez-les à la pâte.

5. Répartissez la pâte dans les moules en les emplissant aux trois quarts. Enfournez pour 4 minutes, puis baissez la température à 200 °C (therm. 6-7) et prolongez la cuisson 6 minutes, jusqu'à ce que les madeleines soient gonflées.

6. Sortez-les du four, démoulez-les délicatement sur une grille. Servez-les tièdes.

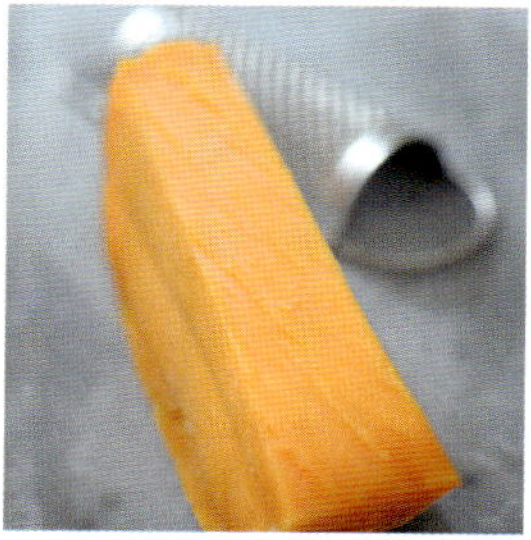

Ces mini-cakes, rapides à réaliser, auront une place de choix sur votre table lors de vos apéritifs dînatoires. Ils se congèlent très bien : vous pouvez donc les réaliser plusieurs jours à l'avance.

Mini-cakes au fromage et au bacon

POUR 12 MINI-CAKES
PRÉPARATION : 25 MIN
CUISSON : 40 À 50 MIN

- > 300 g de comté
- > 300 g de mimolette
- > 8 œufs
- > 400 g de farine
- > 2 sachets de levure chimique
- > 10 cl de lait
- > 20 cl d'huile d'olive
- > 300 g d'allumettes de bacon
- > sel et poivre du moulin

1. Préchauffez le four à 180 °C (therm. 6). Râpez le comté et la mimolette. Dans un saladier, battez les œufs, ajoutez la farine et la levure, salez, poivrez, puis mélangez bien le tout. Incorporez progressivement le lait et l'huile d'olive jusqu'à obtention d'une pâte lisse. Ajoutez le comté, la mimolette et le bacon, puis mélangez délicatement.

2. Beurrez et farinez 12 petits moules à cakes, puis versez-y la pâte aux trois quarts. Enfournez et faites cuire de 40 à 50 minutes – les cakes sont cuits lorsque la pointe d'un couteau piquée au cœur en ressort propre.

3. Sortez les cakes du four, laissez-les refroidir un peu, puis démoulez-les sur une grille. Servez-les tièdes.

Muffins aux artichauts

POUR 12 MUFFINS
PRÉPARATION : 25 MIN
CUISSON : 40 MIN

> 5 ou 6 artichauts poivrades
> le jus de 1 citron
> 5 cuill. à soupe d'huile d'olive
> 8 tranches de viande des Grisons
> 2 œufs
> 25 cl de lait
> 200 g de farine
> 1 sachet de levure chimique
> sel et poivre du moulin

1. Préchauffez le four à 200 °C (therm. 6-7), puis beurrez et farinez légèrement 12 petits moules à muffins ou tapissez une plaque à muffin de 12 caissettes en papier.

2. Coupez les tiges des artichauts, retirez les feuilles, puis coupez les fonds en 2 ou 4 morceaux selon leur taille et arrosez-les du jus de citron. Dans une poêle, faites chauffer 2 cuillerées à soupe d'huile d'olive, puis faites revenir les cœurs d'artichaut jusqu'à ce qu'ils soient légèrement dorés. Ajoutez un fond d'eau et prolongez la cuisson de 10 minutes.

3. Détaillez les tranches de viande des Grisons en fines lamelles. Dans un saladier, battez les œufs, puis incorporez le lait et le reste d'huile d'olive. Dans un autre saladier, réunissez la farine, la levure, les cœurs d'artichaut et les lamelles de viande. Assaisonnez de sel et de poivre, puis mélangez.

4. Rassemblez les deux préparations et mélangez-les rapidement afin qu'il reste des grumeaux. Répartissez la pâte dans les moules en les emplissant aux trois quarts, puis enfournez et faites cuire de 20 à 25 minutes. Sortez les muffins du four, laissez-les refroidir un peu, puis démoulez-les. Servez-les tièdes.

Mini-cakes aux carottes et au jambon de Bayonne

POUR 12 MINI-CAKES
PRÉPARATION : 40 MIN
CUISSON : 45 MIN

> 500 g de farine
> 2 sachets de levure chimique
> 8 œufs
> 10 cl d'huile d'olive
> 15 cl de lait
> 600 g de carottes
> 150 g de cerneaux de noix
> 12 tranches de jambon de Bayonne
> sel et poivre du moulin

1. Préchauffez le four à 180 °C (therm. 6). Dans un saladier, mélangez la farine et la levure, salez, poivrez, puis incorporez les œufs un à un. Ajoutez l'huile d'olive et le lait jusqu'à obtention d'une pâte lisse et homogène.

2. Épluchez les carottes et râpez-les. Concassez les cerneaux de noix. Incorporez les carottes et les noix à la préparation, puis rectifiez l'assaisonnement, si nécessaire.

3. Beurrez et farinez 12 petits moules à cakes et emplissez-les à moitié de la préparation. Roulez les tranches de jambon et déposez-en une au centre de chaque moule, puis recouvrez avec le reste de pâte. Enfournez pour 45 minutes – les cakes sont cuits lorsque la pointe d'un couteau piquée au cœur en ressort propre. Laissez-les refroidir sur une grille avant de les démouler.

Pour des petits cakes plus rustiques et goûteux, remplacez la moitié de la farine par de la farine complète et le beurre par de la graisse de canard.

Muffins au magret de canard et aux pruneaux

POUR 12 MUFFINS

PRÉPARATION : 25 MIN

CUISSON : 15 MIN

- > 8 pruneaux dénoyautés
- > 150 g de magret fumé
- > 100 g de beurre ramolli
- > 3 œufs
- > 225 g de farine
- > 3/4 de sachet de levure chimique
- > sel du moulin

1. Préchauffez le four à 180 °C (therm. 6). Beurrez et farinez 12 petits moules à muffins ou tapissez une plaque à muffins de 12 caissettes en papier.

2. Hachez grossièrement les pruneaux et le magret au couteau.

3. Dans un saladier, mélangez le beurre avec les œufs, puis incorporez soigneusement la farine et la levure tamisées. Ajoutez le magret et les pruneaux, puis salez selon votre goût.

4. Répartissez la pâte dans les moules en les emplissant aux trois quarts, puis enfournez pour 15 minutes.

5. Sortez les muffins du four, laissez-les refroidir pendant 2 minutes, puis démoulez-les délicatement à l'aide d'un couteau à lame lisse. Servez-les tièdes.

Pour changer des raisins secs, ces petites baies pleines de vitamines seront parfaites dans un registre sucré-salé.

Muffins au poulet fumé et aux cranberries

POUR 12 MUFFINS

PRÉPARATION : 35 MIN

CUISSON : 15 MIN

> 75 g de cranberries séchées
> 2 cuisses de poulet fumé cuit
> 150 g de beurre salé
> 225 g de farine
> 3/4 de sachet de levure chimique
> 3 œufs
> 5 cuill. à soupe de lait
> paprika (facultatif)
> sel et poivre du moulin

1. Préchauffez le four à 180 °C (therm. 6). Beurrez et farinez 12 petits moules à muffins ou tapissez une plaque à muffins de 12 caissettes en papier.

2. Mettez les cranberries dans un bol, puis recouvrez-les d'eau bouillante. Égouttez et réservez. Désossez le poulet et découpez-le en petits cubes.

3. Dans une petite casserole, faites fondre le beurre salé à feu doux. Dans un saladier, mélangez la farine et la levure, puis incorporez les œufs, le lait et le beurre tiède. Ajoutez le poulet et les cranberries, salez et poivrez, puis mélangez délicatement à la spatule.

4. Répartissez la pâte dans les moules en les emplissant aux trois quarts. Saupoudrez éventuellement de paprika, puis enfournez pour 15 minutes.

5. Sortez les muffins du four, laissez-les refroidir pendant 2 minutes, puis démoulez-les délicatement à l'aide d'un couteau à lame lisse. Servez-les tièdes.

Petits cakes au saumon fumé et à l'aneth

POUR 12 MINI-CAKES
PRÉPARATION : 30 MIN
CUISSON : 15 MIN

- 1 cuill. à soupe d'aneth
- 200 g de saumon fumé
- 5 œufs
- 1 cuill. à café de baies roses
- 1 pincée de sel
- 160 g de beurre
- 250 g de farine
- 1 sachet de levure chimique
- 10 cl de lait

1. Préchauffez le four à 180 °C (therm. 6). Ciselez l'aneth et coupez le saumon en petits cubes. Dans un saladier, battez les œufs et le lait, ajoutez les baies, l'aneth, le saumon et le sel, puis mélangez délicatement le tout.

2. Dans une petite casserole, faites fondre le beurre à feu doux, puis incorporez la farine et la levure à la spatule. Rassemblez les deux préparations, puis mélangez.

3. Beurrez et farinez 12 petits moules à cakes, puis versez-y la pâte en les emplissant aux trois quarts et enfournez pour 15 minutes.

4. Sortez-les du four, laissez-les refroidir un peu, puis démoulez-les sur une grille. Servez-les tièdes.

Financiers aux olives et aux anchois

POUR 12 FINANCIERS
PRÉPARATION : 30 MIN
CUISSON : 10 À 15 MIN

> 60 g de beurre
> 2 œufs
> 20 g de farine
> 1 cuill. à café de levure chimique
> 50 g d'amandes en poudre
> 100 g d'olives noires dénoyautées
> 12 filets d'anchois
> poivre du moulin

1. Préchauffez le four à 180 °C (therm. 6). Beurrez légèrement 12 moules à financiers, puis farinez-les en éliminant l'excédent.

2. Dans une casserole, faites fondre le beurre à feu doux. Cassez les œufs en séparant les blancs des jaunes, puis fouettez les jaunes. Ajoutez la farine, la levure et les amandes en poudre, puis mélangez le tout soigneusement. Incorporez le beurre fondu progressivement.

3. Coupez les olives en rondelles et coupez les filets d'anchois en petits morceaux. Dans un autre saladier, montez les blancs d'œufs en une neige ferme et assaisonnez-les d'un tour de moulin à poivre. Incorporez-les délicatement à la préparation, puis ajoutez les olives, les morceaux d'anchois.

4. Répartissez la pâte dans les moules, enfournez et faites cuire de 10 à 15 minutes. Sortez les financiers du four, laissez-les refroidir un peu, puis démoulez-les sur une grille. Servez-les tièdes.

Le thon à la catalane donnera à votre cake toute la saveur de ses aromates.

Mini-cakes au thon et aux tomates séchées

POUR 12 MINI-CAKES
PRÉPARATION : 20 MIN
CUISSON : 15 MIN

- > 8 tomates séchées à l'huile
- > 250 g de thon à la catalane en conserve
- > 225 g de farine
- > 3/4 de sachet de levure chimique
- > 5 cuill. à soupe d'huile d'olive
- > 3 œufs
- > sel et poivre du moulin

1. Préchauffez le four à 180 °C (therm. 6). Hachez grossièrement les tomates séchées au couteau et égouttez le thon.

2. Dans un saladier, mélangez la farine et la levure, puis incorporez l'huile d'olive et les œufs un à un. Ajoutez le thon et les tomates, puis mélangez délicatement le tout en conservant quelques morceaux de thon dans la préparation. Salez légèrement et poivrez.

3. Beurrez et farinez 12 petits moules à cakes, puis versez-y la pâte et enfournez pour 15 minutes.

4. Sortez les mini-cakes du four, laissez-les refroidir un peu, puis démoulez-les sur une grille. Servez-les tièdes.

Ces petites madeleines sont les coqueluches des apéritifs improvisés. Originales, faciles à picorer, elles sont surtout très faciles à réaliser.

Toutes petites madeleines au crabe et au citron

POUR 40 MINI-MADELEINES

PRÉPARATION : 30 MIN

CUISSON : 10 MIN

> 1 citron
> 200 g de chair de crabe en conserve
> 150 g de farine
> 1 sachet de levure chimique
> 3 œufs
> 12 cl de lait
> 10 cl d'huile d'olive
> 100 g d'emmenthal râpé
> sel et poivre du moulin

1. Préchauffez le four à 220 °C (therm. 7-8). Beurrez légèrement 40 petits moules à madeleines, puis farinez-les en éliminant l'excédent.

2. Prélevez le zeste du citron, puis coupez le citron en deux et pressez-le. Égouttez la chair de crabe. Dans un saladier, mélangez la farine avec la levure, puis incorporez les œufs. Versez le lait et l'huile d'olive dans la préparation et mélangez bien le tout jusqu'à obtention d'une pâte homogène. Salez, poivrez, puis ajoutez le jus et les zestes de citron, la chair de crabe et l'emmenthal. Mélangez soigneusement.

3. Répartissez la pâte dans les moules en les emplissant aux trois quarts. Enfournez pour 5 minutes, puis baissez la température du four à 190 °C (therm. 6-7) et prolongez la cuisson de 5 minutes, jusqu'à ce que les madeleines gonflent. Sortez-les du four, démoulez-les délicatement sur une grille. Servez-les tièdes.

Voici de petites bouchées moelleuses et gourmandes. De couleur orangée, ces mini-muffins aux sublimes saveurs d'écrevisse enchanteront vos invités.

Mini-muffins aux écrevisses

POUR 24 MINI-MUFFINS
PRÉPARATION : 30 MIN
CUISSON : 15 À 20 MIN

> 2 œufs
> 25 cl de lait
> 3 cuill. à soupe d'huile d'olive
> 125 g de queues d'écrevisse
> 150 g de farine
> 1 sachet de levure chimique
> 60 g de noisettes en poudre
> sel et poivre du moulin

1. Préchauffez le four à 200 °C (therm. 6-7). Beurrez et farinez 24 petits moules à muffins ou tapissez une plaque à muffins de 24 caissettes en papier.

2. Dans un saladier, battez les œufs, puis incorporez le lait et l'huile d'olive.

3. Décortiquez les queues d'écrevisse, puis détaillez-les en petits morceaux. Dans un autre saladier, réunissez la farine, la levure, les noisettes en poudre et les queues d'écrevisse. Assaisonnez selon votre goût, puis mélangez le tout délicatement.

4. Rassemblez les deux préparations et mélangez-les rapidement, sans trop insister, afin qu'il reste des grumeaux. Répartissez la pâte dans les moules en les emplissant aux trois quarts. Enfournez et faites cuire de 15 à 20 minutes, jusqu'à ce que les muffins soient dorés et gonflés.

5. Sortez-les du four, laissez-les refroidir sur une grille, puis démoulez-les.

Direction éditoriale : Véronique de Finance-Cordonnier
Édition : Marion Pipart
Direction artistique : Emmanuel Chaspoul
Réalisation : Belle Page, Boulogne
Couverture : Véronique Laporte
Fabrication : Annie Botrel

Crédits photographiques : p. 27, 32, 33, 47, 49, 54, 55 : Fabrice Besse © coll. Larousse (Stylisme : Noëmie André) ; p. 7, 13, 30, 31, 35, 50, 51 : Caroline Faccioli © coll. Larousse (Stylisme : Sabine Paris) ; p. 15, 23, 40, 41, 43-45, 52, 53, 57, 59 : Marie-José Jarry © coll. Larousse (Stylisme : Bérengère Abraham) ; p. 5, 8, 9, 21, 28, 29, 39 : Massimo Pessina © coll. Larousse (Stylisme : Rosalba de Magistris) ; p. 10, 11, 16-19, 24, 25, 36, 37 : Amélie Roche © coll. Larousse (Stylisme : Manuella Chantepie).

L'éditeur remercie pour le prêt de linge et d'objets : ASA (www.asa-selection.com), Coming B (wwwcomingb.fr), Fleux, 39 et 52 rue sainte Croix de la Bretonnerie 75004 Paris (01 42 78 27 20), Léonardo (www.leonardo.de), Montgolfier (wwwmontgolfier.fr), Linge au Cœur (www.lingeaucoeur.com), Ressources (www.ressources-peinture.com), Emery (www.emeryetcie.com), Villa Paris (01 42 74 07 05), La Cabane de l'Ourse (www.lacabanedelourse.com), La Forge Subtile, 11 rue de l'odéon 75006 Paris (01 40 51 09 30), Mis en Demeure (www.misendemeure.com), La Maison des Rêves (www.maisondesreves.com), La Compagnie Française d'Orient et de Chine (www.cfoc.fr), Jeannine Cros (01 45 48 00 67), Clotilde Buschini (01 45 44 30 11), Caravane (www.caravane.fr), Wooden (www.woodenlist.com) et Mme Mylène Demongeot pour le prêt de la brocante (www.mylene-demongeot.fr).
Et l'éditeur remercie tout particulièrement Véronique Jean pour sa participation efficace.

ISBN : 301-0-00-000279-6

Photogravure Turquoise, Émerainville
Imprimé en Chine par Leo Paper Products
Dépôt légal : septembre 2010
304 607/01-11011871-avril 2010